Recettes de Catherine Quévremont

tartes tatin

Photographies de Deirdre Rooney

• MARABOUT CÔTÉ CUISINE •

recettes sucrées

recettes salées

astuces

Bref rappel de la légende qui donne son nom à cette tarte : les sœurs Tatin tenaient une auberge à Lamotte-Beuvron. La plus étourdie des deux oublie de poser la pâte de la tarte aux pommes au fond du moule, il ne restait plus qu'à la disposer sur le dessus !

Plus concrètement, l'intérêt de cette « tarte à l'envers » est de cuire les produits sous une couche de pâte qui les protège du dessèchement du four. La relative humidité, maintenue sous la couche de pâte, développe une cuisson comme à l'étouffée, mêlant de façon très intéressante les goûts de ce qui a été disposé dans le fond du moule à tarte.

Quel moule choisir ?

De préférence un moule à revêtement anti-adhésif, s'il y a caramélisation, la tarte sera plus facile à démouler.

Impérativement un moule au fond solidaire. Si le fond est amovible, les jus de cuisson vont couler hors du moule.

Une tarte Tatin est épaisse, au moins au moment où on l'enfourne, ensuite à la cuisson, les aliments s'affaissent.

Il est préférable de choisir un moule à manqué plutôt qu'un moule à tarte aux bords trop bas.

On peut réaliser des tartes Tatin dans de nombreux moules :
• Ramequins individuels,
• Moule à soufflé,
• Plat à four de forme carrée, ronde, ovale,
• Poêles en fer où l'on aura fait caraméliser les fruits sur lesquels on aura posé un disque de pâte (pré-cuit).

Les pâtes à tarte

Pour une tarte Tatin aux fruits, la tradition veut que l'on utilise une pâte brisée sucrée, mais d'autres idées sont acceptables.

La pâte feuilletée convient plus aux fruits qui rendent beaucoup d'eau en cuisant, comme les prunes ou les abricots.

La pâte sablée peut aussi être émiettée comme pour un crumble. Veillez à bien la tasser pour former une croûte solide lorsque vous retournerez la tarte.

Les variantes
• Un disque de gâteau de Savoie découpé à la dimension du moule pourra être posé sur une préparation à base de crème d'amandes et de fruits.

• Deux galettes de sarrasin coupées à la dimension du moule, enduites de beurre, pour croustiller à la cuisson, à poser sur une préparation à base de poisson ou de crustacés.

quelques pâtes à tarte

Pâte brisée

125 g de beurre
250 g de farine
1 pincée de sel
1/2 verre d'eau tiède

Faites ramollir le beurre à température ambiante. Versez sur le plan de travail la farine et le sel mélangés. Faites une fontaine au milieu. Émiettez le beurre. Travaillez du bout des doigts pour mélanger le beurre aux particules de farine.

Mouillez la pâte avec l'eau et pétrissez à nouveau, pour obtenir une boule souple. Laissez-la reposer 1 heure avant de l'utiliser.

Pâte sablée

150 g de beurre
250 g de farine
125 g de sucre en poudre
1 pincée de sel
1 œuf
2 cuillères à soupe d'eau tiède

Faites ramollir le beurre (très mou). Mélangez farine, sucre, sel, versez sur le plan de travail. Faites une fontaine au milieu de la farine, déposez le beurre.

Travaillez du bout des doigts rapidement pour évitez que la pâte s'émiette, ajoutez l'eau qui va amalgamer le pâton. Laissez reposer 1 heure avant de travailler la pâte.

Pâte à tarte aux corn flakes

200 g de corn flakes
150 g de beurre
4 c. à soupe de maïzena
1 c. à soupe de sucre semoule
1/2 verre de lait tiède
1/2 sachet de levure

Écrasez grossièrement les corn flakes avec le rouleau à pâtisserie, versez-les dans un grand saladier.
Faites ramollir le beurre au micro-ondes, mélangez-le avec le lait et la levure.
Dans le saladier ajoutez la maïzena, le sucre, versez le lait et le beurre fondu.
Mélangez le tout pour obtenir une pâte souple.

Pâte à tarte au parmesan

200 g de farine
1 c. à café de sel fin
100 g de parmesan râpé
50 g de gruyère râpé
125 g de beurre fondu
2 à 3 c. à soupe de moutarde
1/2 sachet de levure
2 œufs
1 tasse de lait

Mélangez la farine, le sel fin, le parmesan, le gruyère râpé et la levure. Battez les œufs et le lait et versez-les sur le mélange de farine, travaillez la pâte. Ajoutez la moutarde, puis le beurre fondu.

Tarte Tatin aux pommes

Pour 6 personnes

250 g de pâte brisée

5 pommes:
reine des reinettes,
boskoop ou Canada gris

100 g de beurre demi-sel

2 c. à soupe de sucre

1 sachet de sucre vanillé

Préchauffez le four thermostat 7 (200 °C).

Épluchez les pommes, ôtez les pépins. Coupez-les en tranches très épaisses (2 cm d'épaisseur).

Faites fondre le beurre dans une poêle et faites-y revenir les tranches de pommes. Laissez-les dorer 1 à 2 minutes de chaque côté.

Dans le fond du moule, répartissez bien le sucre semoule et le sucre vanillé, disposez les tranches de pommes de façon régulière. Posez la pâte. Pratiquez un petit trou au centre de la pâte pour qu'à la cuisson la vapeur s'échappe.

Enfournez à four très chaud. Laissez cuire 10 minutes, baissez le four à 4 (100 °C) et continuez la cuisson 20 minutes.

Dès la sortie du four, retournez la tarte sur un plat de service. On pourra accompagner cette tarte de crème fraîche, de crème Chantilly ou d'une boule de glace vanille ou parfumée au calvados.

Tarte Tatin aux abricots

Pour 6 personnes

250 g de pâte brisée

12 abricots bien fermes

50 g de beurre

1 c. à soupe d'huile d'olive

25 g de pignons de pin grillés

2 jaunes d'œufs

50 g de sucre

15 cl de crème fraîche

Préchauffez le four thermostat 4 (100 °C).

Ouvrez les abricots en deux, ôtez les noyaux. Faites chauffer le beurre et l'huile dans une poêle antiadhésive pour faire dorer les oreillons 2 minutes de chaque côté. Il faut qu'ils restent fermes. Mettez-les ensuite de côté sur du papier absorbant.

Battez les jaunes d'œufs avec le sucre et la crème fraîche.

Dans le fond du moule à tarte, disposez les demi-abricots côtés bombés sur la tôle, répartissez les pignons de pin et versez la crème. Posez la pâte à tarte en la soudant bien aux bords du moule.

Enfournez à four moyen pendant 10 minutes, puis finissez de cuire 20 minutes à thermostat 6 (180 °C).

Tarte Tatin aux poires

Pour 6 personnes

250 g de pâte brisée

3 poires comice

1 gousse de vanille

50 g de sucre

50 g de raisins secs

3 œufs

2 c. à soupe de rhum

2 c. à soupe de poudre d'amandes

Dans une casserole, mettez à chauffer 1 litre d'eau avec le sucre et la gousse de vanille fendue en deux. Épluchez les poires, coupez-les en deux, plongez-les dans le sirop et laissez-les cuire 10 minutes. Ôtez les poires, égouttez-les sur une grille.

Dans un bol, versez les raisins secs, recouvrez-les avec 1 cuillère à soupe de rhum et 2 cuillères à soupe du sirop de cuisson des poires. Laissez gonfler 30 minutes.

Préchauffez le four thermostat 6 (180 °C).

Fouettez ensemble les œufs, la poudre d'amandes et 1 cuillère à soupe de rhum.

Disposez les poires dans le fond du moule à tarte, ajoutez les raisins et versez la préparation à l'amande. Posez la pâte à tarte et enfournez à thermostat 6 pour 25 minutes.

Tarte Tatin à la rhubarbe

250 g de pâte brisée

750 g de tiges de rhubarbe

3 tranches de pain d'épices

75 g de cassonade

2 c. à soupe de whisky irlandais

Préchauffez le four thermostat 6 (180 °C).

Épluchez les tiges de rhubarbe, coupez-les en tronçons de 2 cm d'épaisseur.

Mixez les tranches de pain d'épices. Saupoudrez le fond du moule à tarte avec la cassonade, disposez une première couche de rhubarbe, parsemez des miettes de pain d'épices et arrosez d'une cuillère de whisky. Recommencez avec une autre couche de rhubarbe puis le reste du pain d'épices et de whisky.

Posez la pâte à tarte, rentrez la pâte à l'intérieur du moule à tarte. Enfournez à four chaud pour 45 minutes.

Cette tarte pourrait être servie avec une crème anglaise parfumée au whisky.

Tarte Tatin aux oranges

Pour 6 personnes

250 g de pâte feuilletée

3 oranges non traitées

250 g de mascarpone

25 cl de sirop de sucre de canne

2 c. à soupe de Cointreau

2 œufs

Prélevez le zeste d'une orange. Faites-le blanchir deux minutes dans de l'eau bouillante. Faites chauffer le sirop de sucre de canne, plongez le zeste blanchi et laissez caraméliser pendant 10 minutes. Sortez-le puis égouttez-le. Conservez 1 cuillère à soupe de sirop caramélisé.

Préchauffez le four thermostat 7 (200 °C).

Ôtez l'écorce et la peau blanche des trois oranges jusqu'à arriver à la chair. Avec un couteau bien aiguisé, découpez les oranges en quartiers : coupez entre chaque peau blanche de séparation et arrêtez-vous avant le cœur du fruit. Mettez les quartiers à égoutter sur un papier absorbant.

Versez le mascarpone dans une jatte, ajoutez les œufs, la cuillerée de sirop caramélisé, le zeste ainsi que le Cointreau. Mélangez bien.

Dans le fond du moule, disposez les quartiers d'oranges, versez la préparation à base de mascarpone. Posez la pâte feuilletée, soudez bien les bords de la pâte en les pinçant sur les bords du moule.

Enfournez pour 10 minutes à thermostat 7, puis baissez à 5 et finissez la cuisson pendant 20 minutes.

Tarte Tatin aux pêches

Pour 6 personnes

250 g de pâte brisée

5 pêches blanches

**1 carton de groseilles
(200 g)**

50 g de beurre frais

50 g de cassonade

50 g d'amandes mondées

Épluchez les pêches, coupez-les en deux, ôtez les noyaux, mettez à égoutter sur une grille ou un papier absorbant.

Préchauffez le four thermostat 7 (200 °C).

Dans une poêle, faites fondre le beurre, jetez-y les groseilles égrenées. Faites-les cuire vivement, en tournant sans cesse avec une cuillère en bois, pendant 7-8 minutes. Écrasez grossièrement, du dos de la cuillère, les grains de groseilles qui n'auraient pas éclaté à la cuisson.

Passez les groseilles écrasées au chinois. Si le jus paraît trop liquide, remettez-le à cuire très vivement dans la poêle jusqu'à ce qu'il épaississe : il doit napper une cuillère.

Saupoudrez le fond du moule avec la cassonade, parsemez les amandes, arrosez de jus de groseilles, disposez les pêches coupées en gros quartiers. Posez la pâte et soudez-la aux bords du moule.

Enfournez pour 25 minutes.

Tarte Tatin aux mangues

Pour 6 personnes

250 g de pâte brisée

2 grosses mangues (ou 3 moyennes) mûres à point

3 fruits de la passion

50 g de cassonade

50 g de beurre frais

2 baies de piment de la Jamaïque

2 c. à soupe de rhum blanc

Épluchez les mangues, coupez-les en tranches épaisses, recueillez le jus qui se sera écoulé pendant cette opération.

Préchauffez le four thermostat 7 (200 °C).

Ouvrez les fruits de la passion, versez la pulpe dans une petite passoire pour retenir les pépins. Dans une casserole, faites fondre la cassonade et le beurre ; versez le jus des mangues, des fruits de la passion et le rhum. Faites chauffer 10 minutes jusqu'à obtenir un jus très épais.

Versez le jus caramélisé dans le fond du moule à tarte, disposez les tranches de mangues dessus. Concassez les baies de piment de la Jamaïque, saupoudrez-en les mangues. Posez la pâte brisée, soudez les bords. Enfournez pour 25 minutes.

Tarte Tatin aux cerises à l'eau-de-vie

Pour 6 personnes

250 g de pâte brisée

500 g de cerises noires (bigarreaux)

500 g de cerises à l'eau-de-vie

1/2 pot de confiture de cerises

Dénoyautez les cerises fraîches, recueillez le jus. Dénoyautez les cerises à l'eau-de-vie et conservez 3 cuillères à soupe d'eau-de-vie.

Préchauffez le four thermostat 7 (200 °C).

Dans une casserole, versez toutes les cerises, la confiture, le jus recueilli et l'eau-de-vie réservée. Faites chauffer vivement jusqu'à obtenir une compote ferme.

Étalez cette compote sur le fond de tarte. Si vous voulez renforcer le goût, parsemez quelques cerises à l'eau-de-vie non dénoyautées. Posez la pâte, soudez les bords. Enfournez pour 25 minutes.

Tarte Tatin aux pruneaux

Pour 6 personnes

250 g de pâte feuilletée

400 g de pruneaux séchés dénoyautés

2 belles figues noires fraîches

2 cuillères à soupe de sucre roux

15 cl d'armagnac (ou de cognac)

1 sachet de thé Earl Grey

Faites bouillir 25 cl d'eau, trempez le sachet de thé et laissez infuser. Versez les pruneaux dans le thé, ajoutez l'armagnac. Laissez tremper au moins 6 heures (ou toute une nuit).

Préchauffez le four thermostat 7.

Dans une casserole, mettez les pruneaux, 4 cuillères à soupe de jus de macération et le sucre. Faites chauffer en tournant pendant 10 minutes, le temps de ramollir les pruneaux qui commencent à compoter.

Ouvrez les figues en quatre, disposez-les sur le fond du moule, côté chair sur le fond, et recouvrez-les de compote de pruneaux. Posez la pâte à tarte, soudez-la aux bords du moule. Enfournez pour 25 minutes.

Tarte Tatin aux coings

250 g de pâte brisée

3 gros coings

1 jus de citron

75 g de beurre salé

**2 c. à soupe de miel
de châtaignier**

**quelques pincées
de cannelle**

Épluchez les coings, coupez-les en tranches épaisses et arrosez-les de jus de citron pour qu'ils ne noircissent pas.

Préchauffez le four thermostat 7 (200 °C).

Dans une poêle à bords hauts, faites fondre le beurre et le miel. Déposez les tranches de coings, faites-les revenir dans le beurre pendant 10 minutes en tournant régulièrement. En fin de cuisson, retirez les morceaux de coings, faites réduire le jus de cuisson à l'état de caramel.

Dans le fond du moule, disposez les morceaux de coings caramélisés, saupoudrez de cannelle, arrosez de caramel.

Poser la pâte, soudez les bords, enfournez pour 25 minutes.

Tarte Tatin banane-chocolat

Pour 6 personnes

250 g de pâte brisée

4 bananes

1 jus de citron

50 g de beurre

2 sachets de sucre vanillé

1 boîte de pastilles de chocolat pour la pâtisserie

Préchauffez le four thermostat 6 (180 °C). Épluchez les bananes, coupez-les en rondelles et citronnez-les pour qu'elles ne noircissent pas.

Dans une grande poêle, faites fondre le beurre et le sucre vanillé puis faites soigneusement dorer les rondelles de bananes en veillant à ce qu'elles ne soient pas écrasées.

Disposez dans le fond du moule à tarte les pastilles de chocolat de façon régulière, posez dessus les rondelles de bananes sur deux épaisseurs. Posez ensuite la pâte. Enfournez pour 25 minutes.

Tarte Tatin ananas-kiwi

250 g de pâte brisée

6 rondelles d'ananas frais

3 jaunes œufs

**3 c. à soupe de noix
de coco râpée**

50 g de sucre

20 cl de crème fraîche

3 kiwis

Préchauffez le four thermostat 5-6 (160 °C).

Déposez les rondelles d'ananas sur la plaque du four
et faites-les légèrement dessécher pendant 10 minutes.

Battez ensemble les jaunes d'œufs, la noix de coco, le sucre
et la crème fraîche.

Sortez les rondelles d'ananas du four et laissez-le positionné
sur thermostat 5-6 (160 °C). Coupez les rondelles d'ananas
en quatre, disposez-les sur le fond d'un moule antiadhésif,
versez la crème et posez la pâte.

Faites cuire 25 minutes. À la sortie du four, laissez refroidir
10 minutes avant de démouler.

Épluchez les kiwis, coupez-les en fines rondelles et disposez-
les sur la tarte. Il est préférable de ne pas cuire les kiwis.

Tarte Tatin aux myrtilles

Pour 6 personnes

250 g de pâte brisée
500 g de myrtilles
6 cl d'eau ou 4 c. à soupe
100 g de sucre
2 feuilles de gélatine

Préchauffez le four thermostat 6 (180 °C).

Faites un sirop léger avec l'eau et le sucre, plongez-y les myrtilles et laissez cuire doucement 10 minutes.

Faites ramollir les feuilles de gélatine dans de l'eau froide, essorez-les entre vos mains et ajoutez-les à la cuisson des myrtilles, mélangez bien.

Versez cette préparation dans le fond du moule à tarte, posez la pâte par-dessus et enfournez pour 25 minutes. Laissez refroidir 10 minutes avant de démouler.

Note Vous pouvez aussi utiliser 100 g de sucre gélifiant à confiture, dans ce cas vous n'aurez pas besoin de feuilles de gélatine.

Tarte Tatin tomates et sardines

Pour 6 personnes

250 g de pâte feuilletée

1 kg de tomates

12 filets de sardines fraîches

2 c. à soupe d'huile d'olive

1 branche de romarin

20 g de beurre

fleur de sel

Préchauffez le four thermostat 2 (50 °C).

Essuyez délicatement les filets de sardines, ôtez bien les arêtes qui pourraient rester.

Coupez les tomates en deux, posez-les sur la plaque du four, côté bombé en dessous. Arrosez d'un filet d'huile d'olive, salez avec du sel fin et posez des brins de romarin sur chaque demi-tomate. Laissez cuire doucement à four doux, thermostat 2, pendant 20 minutes.

Huilez le fond du moule, disposez les filets de sardines, posez dessus les tomates cuites au four puis la pâte à tarte.

Badigeonnez la pâte au pinceau de beurre fondu. Faites cuire à thermostat 7 (200 °C) pendant 25 minutes.

Retournez la tarte sur le plat de service, parsemez de fleur de sel, donnez deux tours de moulin à poivre puis arrosez éventuellement d'un filet d'huile d'olive.

Tarte Tatin tomates-mozzarella

Pour 6 personnes

250 g de pâte feuilletée

**2 boîtes de tomates
entières pelées**

1 mozzarella de bufflonne

1 gousse d'ail

1 bouquet de basilic

1 c. à soupe d'huile d'olive

quelques pincées d'origan

Égouttez les tomates, débarrassez-les des pépins et coupez-les grossièrement. Épluchez l'ail, lavez le basilic et hachez-les ensemble.

Préchauffez le four thermostat 7 (200 °C).

Dans une casserole, faites revenir les tomates dans de l'huile d'olive, parsemez du hachis d'ail et de basilic, salez et poivrez. Laissez cuire à feu vif jusqu'à ce que la compote soit presque sèche.

Ouvrez le paquet de mozzarella, égouttez-la et coupez-la en grosses lamelles.

Déposez-les sur le fond du moule à tarte, versez la compote de tomates et posez la pâte feuilletée. Enfournez pour 25 minutes.

Démoulez sur le plat de service et parsemez d'origan la tarte encore toute chaude.

Tarte Tatin aux tomates séchées et confites

250 g de pâte feuilletée

500 g de tomates fraîches

2 c. à soupe d'huile d'olive

2 gousses d'ail

250 g de tomates séchées à l'huile

1 c. à café de cumin en poudre

2 c. à soupe d'huile d'olive

Préchauffez le four thermostat 2 (50 °C).

Coupez les tomates fraîches en tranches de 1 cm d'épaisseur, posez-les sur la plaque du four garnie d'un papier sulfurisé. Arrosez les tomates d'huile d'olive, salez et poivrez. Épluchez l'ail, émincez-le finement sur les tomates. Faites confire à four tiède pendant 20 minutes.

Réservez 8 tomates séchées, mixez les autres avec un peu de leur huile de conservation et le cumin.

Disposez sur le fond du moule les tomates séchées entières, puis étalez la pâte de tomates séchées mixées.
Déposez enfin les tranches de tomates confites. Posez la pâte feuilletée et enfournez à thermostat 7 (200 °C) pour 25 minutes.

Tarte Tatin tomates, basilic et chèvre

Pour 6 personnes

250 g de pâte feuilletée

2 boîtes de tomates pelées entières

3 petits oignons blancs

1 bouquet de basilic

3 crottins de Chavignol secs

2 œufs

20 cl de crème

1 c. à soupe d'huile d'olive

Égouttez les tomates pelées, ôtez les pépins et coupez-les en morceaux. Faites revenir les tomates dans l'huile d'olive avec les oignons blancs hachés et le basilic ciselé. Faites une compote bien sèche (15 minutes de cuisson environ).

Préchauffez le four thermostat 7 (200 °C).

Ôtez la croûte des fromages. Coupez-en un en petits morceaux et les autres en rondelles. Dans un bol, battez ensemble les œufs, la crème et les morceaux de chèvre. Salez, poivrez. Ajoutez la compote de tomates.

Dans le fond du moule légèrement huilé, disposez des rondelles de fromages de chèvre puis versez dessus la préparation à base de tomates. Posez la pâte feuilletée. Enfournez pour 25 minutes.

Tarte Tatin aubergines grillées-pesto

Pour 6 personnes

250 g de pâte feuilletée

1 kg d'aubergines

1 pot de 500 g de caviar d'aubergines

1 pot de pesto (150-200 g)

150 g de pignons de pin grillés

15 cl d'huile d'olive

Préchauffez le gril du four.

Lavez les aubergines, coupez-les dans la longueur en tranches épaisses, disposez-les sur la plaque du four garnie d'une feuille de papier sulfurisé, arrosez-les d'huile d'olive, salez et poivrez. Passez-les sous le gril du four 5-6 minutes de chaque côté. Veillez à ce qu'elles ne brûlent pas.

Dans le fond du moule huilé, disposez les tranches d'aubergines comme des rayons pour que l'extrémité la moins large soit au centre. Étalez le caviar d'aubergines et le pesto, parsemez de pignons de pins grillés. Posez la pâte puis enfournez à thermostat 7 (200 °C) pour 25 minutes.

Tarte Tatin aux poires et au roquefort

Pour 6 personnes

250 g de pâte sablée

3 poires vertes

200 g de roquefort

3 œufs

4 c. à soupe de crème fraîche

Épluchez les poires, râpez-les à l'aide d'une râpe à carottes.

Préchauffez le four thermostat 4 (100 °C).

Écrasez le roquefort à la fourchette. Battez les œufs et la crème fraîche, ajoutez le roquefort et les poires râpées. Salez (attention, le roquefort est déjà très salé) et poivrez.

Versez cette préparation dans le moule à tarte, recouvrez de la pâte.

Enfournez pour 30 minutes, d'abord à thermostat 4 (100 °C) pour 10 minutes, puis finissez 20 minutes à thermostat 6.

Tarte Tatin aux épinards et à la feta

Pour 6 personnes

250 g de pâte brisée

500 g d'épinards

50 g de beurre

250 g de feta nature

3 c. à soupe de lait

quelques pincées
de mélange 4 épices

2 œufs entiers

Épluchez et lavez les épinards, faites-les revenir dans une poêle avec le beurre, laissez l'eau de végétation s'évaporer complètement. Égouttez à nouveau les épinards en les pressant bien dans une passoire.

Préchauffez le four thermostat 6 (180 °C).

Écrasez grossièrement la feta, délayez-la avec le lait, poivrez et parsemez de mélange 4 épices. Ajoutez les œufs battus et mélangez bien l'ensemble.

Dans un grand saladier, mélangez les épinards et la préparation à base de feta. Versez dans le moule, posez la pâte à tarte dessus. Enfournez pour 25 minutes.

Tarte Tatin aux poivrons et à la tapenade

Pour 6 personnes

250 g de pâte brisée
2 poivrons rouges
2 poivrons verts
2 poivrons jaunes
300 g de tapenade
100 g d'olives noires et vertes dénoyautées

Préchauffez le four thermostat 6 (180 °C).

Lavez les poivrons, posez-les sur la plaque du four garnie d'une feuille de papier sulfurisé. Faites-les cuire 20 minutes à four chaud, en les retournant régulièrement. Lorsqu'ils sont bien noircis sur toutes les faces, enfermez-les dans un sac plastique, attendez 10 minutes et ils seront ensuite très faciles à éplucher. Ôtez peau et pépins puis laissez les poivrons s'égoutter.

Taillez les poivrons en fines lamelles et concassez les olives.

Mélangez la tapenade avec les olives, vérifiez l'assaisonnement.

Huilez le fond du moule, disposez les lamelles de poivrons en alternant les couleurs, étalez la tapenade et les olives. Posez la pâte à tarte.

Enfournez à thermostat 7 pour 25 minutes.

Tarte Tatin aux poivrons et à l'ail

Pour 6 personnes

250 g de pâte feuilletée

1 sachet de poivrons grillés, épluchés, surgelés

25 cl d'huile d'olive

8 gousses d'ail

1 bouquet de fines herbes

1 bouquet de coriandre

Faites décongeler les poivrons comme indiqué sur l'emballage. Posez-les sur une feuille de papier absorbant pour qu'ils finissent de s'égoutter.

Dans une casserole, faites chauffer doucement l'huile d'olive, ajoutez les gousses d'ail non épluchées. Laissez-les confire 15 minutes.

Préchauffez le four thermostat 7 (200 °C). Égouttez l'ail, sortez-le de sa peau, coupez chaque gousse en deux.

Badigeonnez le fond du moule avec un peu d'huile de cuisson de l'ail. Disposez les morceaux de poivrons, salez, poivrez et posez les gousses d'ail entre les poivrons. Posez la pâte et enfournez pour 25 minutes.

Lavez puis ciselez les herbes. Retournez la tarte sur un plat et saupoudrez-la d'herbes.

Tarte Tatin aux artichauts et aux anchois

Pour 6 personnes

250 g de pâte feuilletée

2 bocaux de petits artichauts conservés dans l'huile

1 boîte de 200 g de thon à l'huile

20 filets d'anchois allongés (non enroulés car ils sont trop secs, le mieux est de prendre des anchois entiers conservés au sel, de les dessaler et de les mettre en filets)

1 bocal de grosses câpres italiennes (100 g environ)

Sortez les artichauts du bocal, faites-les égoutter sur une grille ou du papier absorbant.

Préchauffez le four thermostat 7 (200 °C).

Mixez finement le thon avec son huile, 5 filets d'anchois et le bocal de câpres égouttées.

Dans le fond du moule, disposez les filets d'anchois en étoile, intercalés avec les petits artichauts à l'huile, posez dessus la pâte de thon aux câpres et aux anchois.

Posez enfin la pâte à tarte, soudez les bords.

Enfournez pour 25 minutes.

Tarte Tatin aux oignons et aux raisins

Pour 6 personnes

250 g de pâte feuilletée

2 c. à soupe d'huile d'olive

1 c. à soupe d'huile d'argan

1 kg d'oignons surgelés émincés

1 clou de girofle

1 c. à café de gingembre frais râpé
(ou 1/2 c. à café en poudre)

1 grosse cuillère à soupe de farine

3 c. à soupe de vinaigre de Xérès

150 g de raisins de Corinthe

50 cl de bouillon de volaille (fait avec 1 cube)

Faites chauffer les huiles dans une grande poêle, versez-y les oignons. Ajoutez le clou de girofle, tournez pour que les oignons n'attachent pas, laissez-les cuire 15 minutes jusqu'à ce qu'ils soient bien dorés. Ajoutez le gingembre. Saupoudrez de farine, mélangez bien, mouillez avec le vinaigre. Salez, poivrez et laissez cuire encore 10 minutes.

Préchauffez le four à thermostat 7 (200 °C).

Faites fondre le cube de volaille dans 50 cl d'eau bouillante. Trempez les raisins dans ce bouillon pendant 20 minutes. Égouttez les raisins et mélangez-les aux oignons.

Étalez la préparation oignons et raisins dans le fond du moule, couvrez avec la pâte à tarte.

Enfournez pour 25 minutes.

Tarte Tatin aux figues et à la pancetta

Pour 6 personnes

250 g de pâte feuilletée

**8 tranches de pancetta
(poitrine de porc roulée)**

6 figues

2 c. à soupe d'huile d'olive

**4 c. à soupe de vinaigre
balsamique**

Dans une poêle antiadhésive, faites griller les tranches de pancetta, retournez-les pour qu'elles dorent sur les 2 faces. Égouttez-les sur une feuille de papier absorbant.

Préchauffez le four à thermostat 7 (200 °C).

Essuyez les figues, coupez-les en deux en partant de la queue. Versez l'huile dans une poêle, faites revenir les figues deux minutes de chaque côté, retirez-les. Déglacez le jus de la poêle avec le vinaigre balsamique, laissez réduire le jus jusqu'à consistance d'un caramel.

Versez ce caramel dans le fond du moule, posez les figues sur leur section, poivrez et disposez les tranches de pancetta grillées. Posez la pâte à tarte, soudez-la aux bords du moule, enfournez pour 25 minutes.

Tarte Tatin aux courgettes et à la menthe

Pour 6 personnes

250 g de pâte feuilletée

1 kg de petites courgettes

2 cuillères à soupe d'huile d'olive

1 bouquet de menthe

1 pot de 500 g de coulis de tomates très épais avec morceaux

3 œufs

Lavez les courgettes, coupez-en les extrémités. Coupez-les en quatre dans le sens de la longueur (s'il y a des pépins, ôtez la partie du centre) puis recoupez-les en tronçons de 3 cm.

Faites chauffer l'huile dans une poêle, faites-y revenir vivement les courgettes sur toutes les faces pour les faire dorer. Salez, poivrez.

Préchauffez le four thermostat 7 (200 °C).

Lavez la menthe, ciselez-la et gardez quelques belles feuilles entières. Versez le coulis de tomates dans un saladier, mélangez-le avec les œufs battus, la menthe ciselée et rectifiez l'assaisonnement.

Dans le fond du moule, disposez les morceaux de courgettes de façon régulière, versez le coulis de tomates et posez la pâte à tarte. Enfournez pour 25 minutes. À la sortie du four, retournez la tarte sur le plat de service et décorez avec les feuilles de menthe réservées.

Tarte Tatin aux endives

Pour 6 personnes

250 g de pâte brisée
1 kg d'endives
100 g de beurre
quelques pincées de curry
2 c. à soupe de cassonade

Épluchez les endives, coupez-les en deux dans le sens de la longueur.

Faites fondre 75 g de beurre dans une sauteuse, faites revenir les endives sur toutes les faces en les retournant régulièrement délicatement, salez et poivrez.

Préchauffez le four thermostat 6 (180 °C).

Lorsque les endives commencent à être tendres, au bout de 30 minutes, saupoudrez-les de curry. S'il reste de l'eau de cuisson, faites-la évaporer.

Versez le sucre dans le fond du moule, parsemez de petits morceaux de beurre, disposez les endives de façon esthétique, recouvrez avec la pâte à tarte. Enfournez pour 25 minutes.

Tarte Tatin brocolis-fromage de chèvre

Pour 6 personnes

250 g de pâte brisée

3 grosses têtes de brocolis

300 g de fromage de chèvre frais

1 bouquet de ciboulette

2 cives ou petits oignons blancs frais

2 œufs

Coupez les têtes des petits bouquets de brocolis, faites-les cuire 10 minutes dans de l'eau bouillante salée. Sortez-les aussitôt de l'eau.

Préchauffez le four thermostat 6 (180 °C).

Épluchez les cives, hachez-les avec la ciboulette.

Dans un saladier, battez ensemble le fromage frais, les œufs et la ciboulette. Salez, poivrez.

Dans le fond du moule à tarte, disposez les bouquets de brocolis tête en bas, versez la préparation au fromage, posez enfin la pâte à tarte. Enfournez pour 25 minutes.

Tarte Tatin aux champignons

Pour 6 personnes

250 g de pâte feuilletée

500 g de champignons mélangés : pleurotes, cèpes, rosés des prés, morilles, girolles, etc.

50 g de beurre

1 branche de thym

1 c. à soupe de sauce de soja

4 c. à soupe de crème fraîche

2 jaunes d'œufs

1 œuf entier

1 pincée de noix de muscade râpée

1 pincée de curry

Coupez les pieds terreux des champignons, essuyez-les, évitez de les laver. Coupez-les en morceaux.

Faites fondre le beurre dans une grande poêle, versez tous les champignons, égrenez le thym et faites revenir le tout.

Préchauffez le four thermostat 7 (200 °C).

Lorsque l'eau de végétation des champignons s'est évaporée, versez la sauce de soja, mélangez bien.

Dans un bol, versez la crème, les jaunes et l'œuf entier, fouettez. Ajoutez la noix de muscade, le curry, salez, poivrez et mélangez bien.

Beurrez le fond du moule à tarte, disposez les champignons, versez la préparation à base de crème. Posez la pâte à tarte en rentrant bien les bords vers le fond du moule. Enfournez pour 25 minutes.

Texte des recettes : Catherine Quévremont
Relecture : Véronique Dussidour
Réalisation des recettes : Joss Herd et Susie Theodorou
Photographies : Deirdre Rooney

© Marabout 2003

ISBN : 2501040538

Dépôt légal : 55101/février 2005

403922.8/06

Achevé d'imprimer en France par Pollina - L95650